Chansons de France

Première édition dans la collection «lutin poche» : octobre 1979
Maquette : Sereg, Paris
Loi numéro 49 956 du 16 juillet 1949 sur les publications destinées à la jeunesse : octobre 1979
Dépôt légal : juin 1996
Imprimé en France par Aubin Imprimeur à Poitiers

CHANSONS DE FRANCE

POUR

LES PETITS FRANÇAIS

avec accompagnements de J. B. Weckerlin.

ILLUSTRATIONS PAR M. B. DE MONVEL

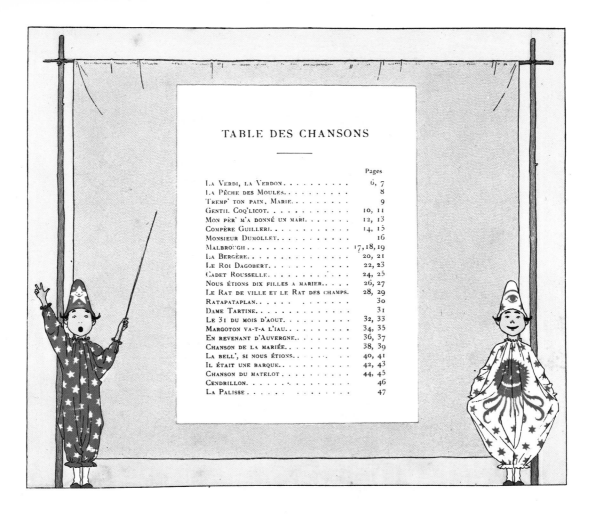

TABLE DES CHANSONS

J'achèterais un blanc mouton (*bis*);
Je le tondrais à la saison;
  La Verdi, la Verdon,
Et ioupe! sautez donc, la Verdon.

Je le tondrais à la saison (*bis*);
J' l'égaillerais sur un buisson;
  La Verdi, la Verdon.
Et ioupe! sautez donc, la Verdon.

J' l'égaillerais sur un buisson (*bis*).
Par ici pass'nt trois grands fripons;
  La Verdi, la Verdon,
Et ioupe! sautez donc, la Verdon!

Par ici pass'nt trois grands fripons (*bis*),
Z'y m'ont emporté ma toison;
  La Verdi, la Verdon,
Et ioupe! sautez donc, la Verdon!

Z'y m'ont emporté ma toison (*bis*).
J' courus après jusqu'à Lyon;
  La Verdi, la Verdon,
Et ioupe! sautez donc, la Verdon!

J' courus après jusqu'à Lyon (*bis*);
Messieurs, rendez-m'y ma toison;
  La Verdi, la Verdon,
Et ioupe! sautez donc, la Verdon!

Messieurs, rendez-m'y ma toison (*bis*),
C'est pour m'y faire un cotillon;
  La Verdi, la Verdon,
Et ioupe! sautez donc, la Verdon!

C'est pour m'y faire un cotillon (*bis*),
Z'à mon mari un caneçon;
  La Verdi, la Verdon,
Et ioupe! sautez donc, la Verdon!

Z'à mon mari un caneçon (*bis*),
Z'à mes filles des bonnets ronds;
  La Verdi, la Verdon,
Et ioupe! sautez donc, la Verdon!

Z'à mes filles des bonnets ronds (*bis*).
J'en revendrai les retaillons;
  La Verdi, la Verdon,
Et ioupe! sautez donc, la Verdon!

J'en revendrai les retaillons,
Ça s'ra pour payer la façon;
  La Verdi, La Verdon,
Et ioupe! sautez donc, la Verdon!

LA PÊCHE DES MOULES.

CHANT et PIANO

A la pê_che des mou_les, Je ne veux plus al_ler, maman, A la pêche des mou_les Je ne veux plus al_ler. Les gar_çons de Ma_ren_nes Me prendraient mon pa_nier, maman, Les garçons de Marennes Me prendraient mon panier.

2ᵉ COUPLET.

Quand un' fois ils vous tiennent,
Sont-ils de bons enfants, maman;
Quand un' fois ils vous tiennent,
Sont-ils de bons enfants?
A la pêche, etc.

3ᵉ COUPLET.

Ils vous font des caresses
Et des p'tits compliments, maman;
Ils vous font des caresses
Et des p'tits compliments.
A la pêche, etc.

Pour y cueillir du romarin *(bis)*,
J' n'en avais pas cueilli trois brins;
  Gentil coq'licot, mesdames,
  Gentil coq'licot nouveau.

J' n'en avais pas cueilli trois brins *(bis)*,
Qu'un rossignol vint sur ma main;
  Gentil coq'licot, mesdames,
  Gentil coq'licot nouveau.

Qu'un rossignol vint sur ma main *(bis)*,
Il me dit trois mots en latin;
  Gentil coq'licot, mesdames,
  Gentil coq'licot nouveau.

Il me dit trois mots en latin *(bis)*,
Que les hommes ne valent rien;
  Gentil coq'licot, mesdames,
  Gentil coq'licot nouveau.

Que les hommes ne valent rien *(bis)*,
Et les garçons encor bien moins;
  Gentil coq'licot, mesdames,
  Gentil coq'licot nouveau.

Et les garçons encor bien moins *(bis)*,
Des dames il ne me dit rien;
  Gentil coq'licot, mesdames,
  Gentil coq'licot nouveau.

Des dames il ne me dit rien *(bis)*,
Mais des d'moisell's beaucoup de bien;
  Gentil coq'licot, mesdames,
  Gentil coq'licot nouveau.

D'une feuille on fit son habit,
Mon Dieu! quel homme,
Quel petit homme!
D'une feuille on fit son habit,
Mon Dieu! quel homme,
Qu'il est petit!

Le chat l'a pris pour un' souris,
Mon Dieu! quel homme,
Quel petit homme!
Le chat l'a pris pour un' souris,
Mon Dieu! quel homme,
Qu'il est petit!

Au chat! au chat! c'est mon mari,
Mon Dieu! quel homme,
Quel petit homme!
Au chat! au chat! c'est mon mari,
Mon Dieu! quel homme,
Qu'il est petit!

Le feu à sa paillasse a pris,
Mon Dieu! quel homme,
Quel petit homme!
Le feu à sa paillasse a pris,
Mon Dieu! quel homme,
Qu'il est petit!

Mon petit mari fut rôti,
Mon Dieu! quel homme,
Quel petit homme!
Mon petit mari fut rôti,
Mon Dieu! quel homme,
Qu'il est petit!

Pour me consoler, je me dis :
Mon Dieu! quel homme,
Quel petit homme!
Pour me consoler, je me dis :
Mon Dieu! quel homme,
Qu'il est petit!

Il s'en fut à la chasse,
A la chasse aux perdrix,
   Carabi;
Il monta sur un arbre
Pour voir ses chiens couri',
   Carabi,
   Titi Carabi,
   Toto Carabo,
Compère Guilleri,
Te lairas-tu (*ter*) mouri'?

La branche vint à rompre,
Et Guilleri tombi,
   Carabi;
Il se cassa la jambe,
Et le bras se démit,
   Carabi,
   Titi Carabi,
   Toto Carabo,
Compère Guilleri,
Te lairas-tu (*ter*) mouri'?

Les dam's de l'*Hôpitale*
Sont arrivé's au bruit,
   Carabi;
L'une apporte un emplâtre,
L'autre de la charpi',
   Carabi,
   Titi Carabi,
   Toto Carabo,
Compère Guilleri,
Te lairas-tu (*ter*) mouri'?

On lui banda la jambe,
Et le bras lui remit,
   Carabi;
Pour remercier ces dames,
Guill'ri les embrassit,
   Carabi,
   Titi Carabi,
   Toto Carabo,
Compère Guilleri,
Te lairas-tu (*ter*) mouri'?

Il monta sur un arbre
Pour voir ses chiens couri',
   Carabi;
La branche vint à rompre,
Et Guilleri tombi,
   Carabi,
   Titi Carabi,
   Toto Carabo,
Compère Guilleri,
Te lairas-tu (*ter*) mouri'?

Il se cassa la jambe,
Et le bras se démit,
   Carabi;
Les dam's de l'*Hôpitale*
Sont arrivé's au bruit,
   Carabi,
   Titi Carabi,
   Toto Carabo,
Compère Guilleri,
Te lairas-tu (*ter*) mouri'?

L'une apporte un emplâtre,
L'autre de la charpi',
   Carabi;
On lui banda la jambe,
Et le bras lui remit,
   Carabi,
   Titi Carabi,
   Toto Carabo,
Compère Guilleri,
Te lairas-tu (*ter*) mouri'?

Pour remercier ces dames,
Guill'ri les embrassit,
   Carabi;
Ça prouv' que par les femmes
L'homme est toujours guéri,
   Carabi,
   Titi Carabi,
   Toto Carabo,
Compère Guilleri,
Te lairas-tu (*ter*) mouri'?

Allo. moderato

CHANT et PIANO

Mal_brough s'en va-t-en guer__re, Miron__ton, ton ton, miron__tai__ne, Mal_brough s'en va-t-en guer__re, Ne sait quand re_vien_dra, Ne sait quand re_vien_dra... __ Ne sait quand re_vien_dra... __

Il reviendra z'à Pâques,
Mironton, tonton, mirontaine,
Il reviendra z'à Pâques,
Ou à la Trinité *(ter)*.

La Trinité se passe,
Mironton, tonton, mirontaine,
La Trinité se passe,
Malbrough ne revient pas *(ter)*.

Madame à sa tour monte,
Mironton, tonton, mirontaine,
Madame à sa tour monte,
Si haut qu'elle peut monter *(ter)*.

Elle aperçoit son page,
Mironton, tonton, mirontaine,
Elle aperçoit son page,
Tout de noir habillé *(ter)*.

Beau page! ah! mon beau pa _ ge, Miron _ ton, ton ton, miron _ tai _ ne; Beau page! ah! mon beau pa _ ge, Quell' nou_velle ap_por_tez? Quell' nou_velle ap_por_tez... Quell' nou_velle ap_por_tez?..

Aux nouvell's que j'apporte,
Mironton, tonton, mirontaine;
Aux nouvell's que j'apporte,
Vos beaux yeux vont pleurer *(ter)*.

Quittez vos habits roses,
Mironton, tonton, mirontaine;
Quittez vos habits roses,
Et vos satins brochés *(ter)*.

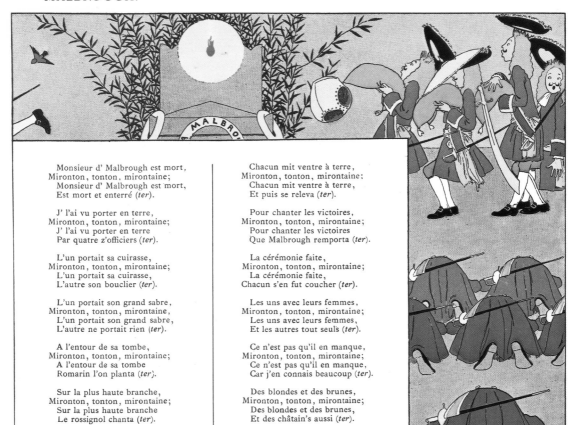

Monsieur d' Malbrough est mort,
Mironton, tonton, mirontaine;
Monsieur d' Malbrough est mort,
Est mort et enterré (*ter*).

J' l'ai vu porter en terre,
Mironton, tonton, mirontaine;
J' l'ai vu porter en terre
Par quatre z'officiers (*ter*).

L'un portait sa cuirasse,
Mironton, tonton, mirontaine;
L'un portait sa cuirasse,
L'autre son bouclier (*ter*).

L'un portait son grand sabre,
Mironton, tonton, mirontaine;
L'un portait son grand sabre,
L'autre ne portait rien (*ter*).

A l'entour de sa tombe,
Mironton, tonton, mirontaine;
A l'entour de sa tombe
Romarin l'on planta (*ter*).

Sur la plus haute branche,
Mironton, tonton, mirontaine;
Sur la plus haute branche
Le rossignol chanta (*ter*).

On vit voler son âme,
Mironton, tonton, mirontaine;
On vit voler son âme,
A travers des lauriers (*ter*).

Chacun mit ventre à terre,
Mironton, tonton, mirontaine:
Chacun mit ventre à terre,
Et puis se releva (*ter*).

Pour chanter les victoires,
Mironton, tonton, mirontaine;
Pour chanter les victoires
Que Malbrough remporta (*ter*).

La cérémonie faite,
Mironton, tonton, mirontaine;
La cérémonie faite,
Chacun s'en fut coucher (*ter*).

Les uns avec leurs femmes,
Mironton, tonton, mirontaine;
Les uns avec leurs femmes,
Et les autres tout seuls (*ter*).

Ce n'est pas qu'il en manque,
Mironton, tonton, mirontaine;
Ce n'est pas qu'il en manque,
Car j'en connais beaucoup (*ter*).

Des blondes et des brunes,
Mironton, tonton, mirontaine;
Des blondes et des brunes,
Et des châtain's aussi (*ter*).

J' n'en dis pas davantage,
Mironton, tonton, mirontaine;
J' n'en dis pas davantage,
Car en voilà z'assez.

LA BERGÈRE.

1

Il était un' bergère,
Et ron, ron, ron, petit patapon,
Il était un' bergère,
Qui gardait ses moutons,
Ron, ron,
Qui gardait ses moutons.

2

Elle fit un fromage,
Et ron, ron, ron, petit patapon,
Elle fit un fromage
Du lait de ses moutons,
Ron, ron,
Du lait de ses moutons.

3

Le chat qui la regarde,
Et ron, ron, ron, petit patapon,
Le chat qui la regarde
D'un petit air fripon,
Ron, ron,
D'un petit air fripon.

4

Si tu y mets la patte,
Et ron, ron, ron, petit patapon,
Si tu y mets la patte,
Tu auras du bâton,
Ron, ron,
Tu auras du bâton.

5

Il n'y mit pas la patte,
Et ron, ron, ron, petit patapon,
Il n'y mit pas la patte,
Il y mit le menton,
Ron, ron,
Il y mit le menton.

6

La bergère en colère,
Et ron, ron, ron, petit patapon,
La bergère en colère,
A tué son chaton,
Ron, ron,
A tué son chaton.

Le bon roi Dagobert
Faisait peu sa barbe en hiver ;
Le grand saint Éloi
Lui dit : « O mon roi,
Il faut du savon
Pour votre menton.
— C'est vrai, lui dit le roi,
As-tu deux sous ? prête-les-moi. »

Le roi faisait des vers ;
Mais il les faisait de travers ;
Le grand saint Éloi
Lui dit : « O mon roi !
Laissez les oisons
Faire des chansons.
— C'est vrai, lui dit le roi,
C'est toi qui les feras pour moi. »

Le bon roi Dagobert
Chassait dans les plaines d'Anvers ;
Le grand saint Éloi
Lui dit : « O mon roi !
Votre Majesté
Est bien essoufflée.
— C'est vrai, lui dit le roi,
Un lapin courait après moi. »

Le bon roi Dagobert
Allait à la chasse au pivert ;
Le grand saint Éloi
Lui dit : « O mon roi,
La chasse aux coucous
Vaudrait mieux pour vous.
— Eh bien ! lui dit le roi,
Je vais tirer, prends garde à toi. »

Le bon roi Dagobert
Avait un grand sabre de fer ;
Le grand saint Éloi
Lui dit : « O mon roi,
Votre Majesté
Pourrait se blesser.
— C'est vrai, lui dit le roi,
Qu'on me donne un sabre de bois. »

Le bon roi Dagobert
Se battait à tort à travers ;
Le grand saint Éloi
Lui dit : « O mon roi,
Votre Majesté
Se fera tuer.
— C'est vrai, lui dit le roi,
Mets-toi bien vite devant moi. »

Le bon roi Dagobert
Voulait s'embarquer sur la mer ;
Le grand saint Éloi
Lui dit : « O mon roi,
Votre Majesté
Se fera noyer.
— C'est vrai, lui dit le roi,
On pourra crier : Le roi boit ! »

Cadet Rousselle a trois habits :
Deux jaunes, l'autre en papier gris;
Il met celui-ci quand il gèle,
Ou quand il pleut, ou quand il grêle.
　　Ah! ah! ah! mais, vraiment,
Cadet Rousselle est bon enfant.

Cadet Rousselle a trois chapeaux :
Les deux ronds ne sont pas très-beaux,
Et le troisième est à deux cornes;
De sa tête il a pris la forme.
　　Ah! ah! ah! mais, vraiment,
Cadet Rousselle est bon enfant.

Cadet Rousselle a une épée,
Très-longue, mais toute rouillée;
On dit qu'ell' ne cherche querelle
Qu'aux moineaux et aux hirondelles.
　　Ah! ah! ah! mais, vraiment,
Cadet Rousselle est bon enfant.

Cadet Rousselle a trois souliers,
Il en met deux à ses deux pieds;
Le troisièm' n'a pas de semelle;
Il s'en sert pour chausser sa belle.
　　Ah! ah! ah! mais, vraiment,
Cadet Rousselle est bon enfant.

Cadet Rousselle a trois gros chiens :
L'un court au lièvr', l'autre au lapin.
L' troisièm' s'enfuit quand on l'appelle,
Comm' le chien de Jean de Nivelle.
　　Ah! ah! ah! mais, vraiment,
Cadet Rousselle est bon enfant.

Cadet Rousselle a trois beaux chats,
Qui n'attrapent jamais les rats;
Le troisièm' n'a pas de prunelle;
Il monte au grenier sans chandelle.
　　Ah! ah! ah! mais, vraiment,
Cadet Rousselle est bon enfant.

Cadet Rousselle a trois deniers;
C'est pour payer ses créanciers;
Quand il a montré ses ressources,
Il les resserr' dedans sa bourse.
　　Ah! ah! ah! mais, vraiment,
Cadet Rousselle est bon enfant.

Cadet Rousselle ne mourra pas,
Car avant de sauter le pas,
On dit qu'il apprend l'orthographe
Pour fair' lui-mêm' son épitaphe.
　　Ah! ah! ah! mais, vraiment,
Cadet Rousselle est bon enfant.

Le fils du roi vint à passer ;
Toutes il les a saluées :
Salut à Dine,
Salut à Chine,
Salut à Claudine et Martine ;
Ah ! ah !
Catherinette et Catherina ;
Salut à la belle Suzon,
A la duchess' de Montbazon ;
Salut à Célimène ;
Baisers à la Dumaine.

A toutes il fit un cadeau ;
A toutes il fit un cadeau :
Bague à Dine,
Bague à Chine,
Bague à Claudine et Martine ;
Ah ! ah !
Catherinette et Catherina ;
Bague à la belle Suzon,
A la duchess' de Montbazon ;
Bague à Célimène ;
Diamant à la Dumaine.

Puis il leur offrit à coucher ;
Puis il leur offrit à coucher :
Paille à Dine,
Paille à Chine,
Paille à Claudine et Martine ;
Ah ! ah !
Catherinette et Catherina ;
Paille à la belle Suzon,
A la duchess' de Montbazon ;
Paille à Célimène ;
Beau lit à la Dumaine.

Puis toutes il les renvoya ;
Puis toutes il les renvoya :
Renvoya Dine ;
Renvoya Chine ;
Renvoya Claudine et Martine ;
Ah ! ah !
Catherinette et Catherina ;
Renvoya la belle Suzon
Et la duchess' de Montbazon ;
Renvoya Célimène
Et garda la Dumaine.

Le régal fut fort honnête,
Rien ne manquait au festin;
Mais quelqu'un troubla la fête
Pendant qu'ils étaient en train.
A la porte de la salle
Ils entendirent du bruit;
Le rat de ville détale,
Son camarade le suit.

Le bruit cesse, on se retire,
Rats en campagne aussitôt;
Et le citadin de dire :
Achevons tout notre rôt.
C'est assez, dit le rustique,
Demain vous viendrez chez moi;
Ce n'est pas que je me pique
De tous vos festins de roi,

Mais rien ne vient m'interrompre;
Je mange tout à loisir.
Adieu donc. Fi du plaisir
Que la crainte peut corrompre.

DAME TARTINE.

Un poco allegro

CHANT et PIANO

Il é_tait un' da_me Tar_ti_ne, Dans un beau pa_lais de beurr'
frais; Les mu_raill's é_taient de fa_ri_ne, Le par_quet é_tait de cro_
_quets, Sa chambre à cou_cher Etaient d'échau_dés, Son lit de bis_cuit: C'est fort bon la nuit.

Quand ell' s'en allait à la ville,
Elle avait un petit bonnet;
Les rubans étaient de pastille
Et le fond de bon raisiné;

Sa petit' carriole
Etait d' croquignole;
Ses petits chevaux
Étaient d' pâtés chauds.

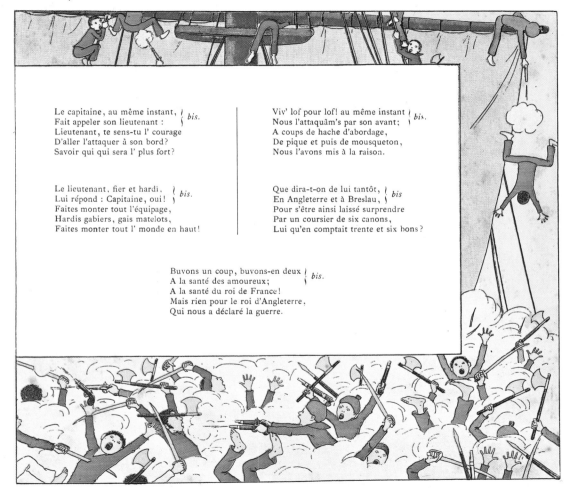

Le capitaine, au même instant, *bis.*
Fait appeler son lieutenant :
Lieutenant, te sens-tu l' courage
D'aller l'attaquer à son bord?
Savoir qui qui sera l' plus fort?

Le lieutenant, fier et hardi, *bis.*
Lui répond : Capitaine, oui!
Faites monter tout l'équipage,
Hardis gabiers, gais matelots,
Faites monter tout l' monde en haut!

Viv' lof pour lof! au même instant *bis.*
Nous l'attaquâm's par son avant;
A coups de hache d'abordage,
De pique et puis de mousqueton,
Nous l'avons mis à la raison.

Que dira-t-on de lui tantôt, *bis*
En Angleterre et à Breslau,
Pour s'être ainsi laissé surprendre
Par un coursier de six canons,
Lui qu'en comptait trente et six bons?

Buvons un coup, buvons-en deux *bis.*
A la santé des amoureux;
A la santé du roi de France!
Mais rien pour le roi d'Angleterre,
Qui nous a déclaré la guerre.

Margoton va-t-a l'iau avecque son cruchon,
Margoton va-t-a l'iau avecque son cruchon,
La fontaine était creuse, elle est tombée au fond.
Aïe! aïe! aïe! aïe! se dit Margoton.

La fontaine était creuse, elle est tombée au fond,
La fontaine était creuse, elle est tombée au fond;
Par là passirent trois jeunes et beaux garçons.
Aïe! aïe! aïe! aïe! se dit Margoton.

Par là passirent trois jeunes et beaux garçons;
Par là passirent trois jeunes et beaux garçons;
Que donn'rez-vous, la bell', nous vous retirerons?
Aïe! aïe! aïe! aïe! se dit Margoton.

Que donn'rez-vous, la bell', nous vous retirerons?
Que donn'rez-vous, la bell', nous vous retirerons?
Un doux baiser vous donne en guise d'un doublon.
Aïe! aïe! aïe! aïe! se dit Margoton.

Une vieille édentée (*ter*)
Me dit : Mon p'tit ami,
Fais-moi donc voir la danse (*ter*),
La dans' de ton pays;
Chante la savoyarde,
Danse la montagnarde,
Eh! gai, Coco! eh! gai, Coco!
Non, tu n' verras pas la danse
Du petit marmot;
Non, tu n' verras pas la danse
Du petit marmot (*ter*).

Une jeune fillette (*ter*)
Me dit : Mon jeune ami,
Montre-moi donc la danse (*ter*),
La dans' de ton pays;
Chante la savoyarde,
Danse la montagnarde,
Eh! gai, Coco! eh! gai, Coco!
Et je lui montrai la danse
Du petit marmot;
Et je lui montrai la danse
Du petit marmot (*ter*).

Nous somm's venus vous voir,
Du fond de not' village,
Pour souhaiter ce soir
Un heureux mariage
A monsieur votre époux
Aussi bien comme à vous.

Vous n'irez plus au bal,
Madame la mariée,
Danser sous le fanal
Dans les jeux d'assemblée;
Vous gard'rez la maison,
Tandis que nous irons.

Avez-vous écouté
Ce que vous dit le prêtre?
A dit la vérité
Et comme il vous faut être :
Fidèle à votre époux
Et l'aimer comme vous.

Quand on dit son époux,
On dit souvent son maître;
Ils ne sont pas si doux
Comme ils ont promis d'être :
Il faut leur conseiller
De mieux se rappeler.

Si vous avez, Bretons,
Des bœufs dans vos herbages,
Des brebis, des moutons,
Des oisillons sauvages,
Songez, soir et matin,
Qu'à leur tour ils ont faim.

Recevez ce bouquet
Que nous venons vous tendre :
Il est fait de genêt,
Pour vous faire comprendre
Que tous les vains honneurs
Passent comme les fleurs.

La bell', si nous étions dedans ce haut bois,
La bell', si nous étions dedans ce haut bois,
Nous y mangerions fort bien des noix,
Nous y mangerions fort bien des noix;
Nous en mangerions à notre loisi,
Nique nac no muse!
Belle, vous m'avez emberlifi,
Emberlificoté
Par votre beauté.

La bell', si nous étions devant ce vivier,
La bell', si nous étions devant ce vivier,
Nous y mettrions des p'tits canards nager,
Nous y mettrions des p'tits canards nager;
Nous en mettrions à notre loisi,
Nique nac no muse!
Belle, vous m'avez emberlifi,
Emberlificoté
Par votre beauté.

La bell', si nous étions dedans ce fourniau,
La bell', si nous étions dedans ce fourniau,
Nous y mangerions des p'tits pâtés tout chauds,
Nous y mangerions des p'tits pâtés tout chauds;
Nous en mangerions à notre loisi,
Nique nac no muse!
Belle, vous m'avez emberlifi,
Emberlificoté
Par votre beauté.

La bell', si nous étions dedans ce jardin,
La bell', si nous étions dedans ce jardin,
Nous y chanterions soir et matin,
Nous y chanterions soir et matin;
Nous y chanterions à notre loisi,
Nique nac no muse!
Belle, vous m'avez emberlifi,
Emberlificoté
Par votre beauté.

1

Il était une barque à trente matelots,
Il était une barque à trente matelots,
A trente matelots, sur le bord de l'île,
Qui chargeaient des boucauts sur le bord de l'eau.

2

Qu'avez-vous donc, la bell', qui vous fait tant pleurer?
Qu'avez-vous donc, la bell', qui vous fait tant pleurer?
Qui vous fait tant pleurer, sur le bord de l'île,
Qui vous fait tant pleurer, sur le bord de l'eau?

3

Pleurez-vous votre père, ou l'un de vos parents?
Pleurez-vous votre père, ou l'un de vos parents?
Ou l'un de vos parents, sur le bord de l'île,
Ou l'un de vos parents, sur le bord de l'eau?

4

Je pleure un brigoëlett', parti la voile au vent,
Je pleure un brigoëlett', parti la voile au vent;
Parti la voile au vent, sur le bord de l'île,
Parti la voile au vent, sur le bord de l'eau.

5

Est parti vent arrièr', les perroquets au vent,
Est parti vent arrièr', les perroquets au vent;
Les perroquets au vent, sur le bord de l'île,
Les perroquets au vent, sur le bord de l'eau.

6

Est parti pour la traite avec mon bel ami,
Est parti pour la traite avec mon bel ami;
Avec mon bel ami, sur le bord de l'île,
Avec mon bel ami, sur le bord de l'eau.

Il était trois mat'lots de Groix,
Il était trois mat'lots de Groix
Embarqués sur le *Saint-François*:
Tra la dérira la la la,
Tra la dérira la laire.

Embarqués sur le *Saint-François*,
Embarqués sur le *Saint-François*,
Qui allait de Belle-Ile à Groix;
Tra la dérira la la la,
Tra la dérira la laire.

Qui allait de Belle-Ile à Groix,
Qui allait de Belle-Ile à Groix.
Très-fort le vent vint à souffler,
Tra la dérira la la la,
　Tra la dérira la laire.

Très-fort le vent vint à souffler,
Très-fort le vent vint à souffler;
Fallut prend' trois ris aux huniers,
Tra la dérira la la la,
　Tra la dérira la laire.

Fallut prend' trois ris aux huniers,
Fallut prend' trois ris aux huniers.
Beau matelot, montez en haut;
Tra la dérira la la la,
　Tra la dérira la laire.

Beau matelot, montez en haut,
Beau matelot, montez en haut,
Mais bientôt il tomba dans l'eau,
Tra la dérira la la la,
　Tra la dérira la laire.

Mais bientôt il tomba dans l'eau,
Mais bientôt il tomba dans l'eau.
On n'a sauvé que son chapeau,
Tra la dérira la la la,
　Tra la dérira la laire.

On n'a sauvé que son chapeau,
On n'a sauvé que son chapeau,
Son garde-pipe et son couteau,
Tra la dérira la la la,
　Tra la dérira la laire.

CENDRILLON.

Mes sœurs, du soin du ménage
Ne s'occupent pas du tout.
C'est moi qui fais tout l'ouvrage,
Et pourtant j'en viens à bout.
Attentive, obéissante,
Je sers toute la maison;
Et je suis votre servante,
La petite Cendrillon. } *bis.*

Quoique toujours je m'empresse,
Mon zèle est très-mal payé;
Et jamais on ne m'adresse
Un petit mot d'amitié.
Mais, n'importe, on a beau faire,
Je me tais, et j'ai raison.
Dieu protégera, j'espère,
La petite Cendrillon. } *bis.*

CHANT et PIANO

Allegretto con moto

Je suis mo_deste et sou_mi_se. Le mon_de me voit fort peu, Car je suis toujours as_

_si_se Dans un pe_tit coin du feu, Cet_te pla_ce n'est pas bel_le, Mais pour

moi tout pa_raît bon: Voi_là pour_quoi l'on m'ap_pel_le La pe_ti_te_Cen_dril_

_lon, Voi_là pour_quoi l'on m'ap_pel_le La pe_ti_te_Cen_dril_lon.

rit.

CHANT et PIANO

Pas trop vite

Messieurs, vous plaît-il d'ouïr L'air du fameux La Palis se? Il pourra vous réjouir Pourvu qu'il vous divertisse.

La Palisse eut peu de bien Pour soutenir sa naissan _ ce, Mais il ne manqua de rien Dès qu'il fut dans l'abondance.

Bien instruit dès le berceau,
Jamais, tant il fut honnête,
Il ne mettait son chapeau,
Qu'il ne se couvrît la tête.
Il était affable et doux,
De l'humeur de feu son père,
Et n'entrait guère en courroux
Si ce n'est dans la colère.

Il épousa, ce dit-on,
Une vertueuse dame;
S'il avait vécu garçon,
Il n'aurait pas eu de femme.
Il en fut toujours chéri,
Elle n'était point jalouse;
Sitôt qu'il fut son mari,
Elle devint son épouse.

Un devin, pour deux testons,
Lui dit, d'une voix hardie,
Qu'il mourrait delà les monts
S'il mourait en Lombardie.
Il y mourut, ce héros,
Personne aujourd'hui n'en doute;
Sitôt qu'il eut les yeux clos,
Aussitôt il n'y vit goutte.

Il fut, par un triste sort,
Blessé d'une main cruelle.
On croit, puisqu'il en est mort,
Que la plaie était mortelle.

Il mourut le vendredi,
Le dernier jour de son âge;
S'il fût mort le samedi,
Il eût vécu davantage.